책을 내면서

앙상블을 접하면 화음감, 박자감, 리듬감, 집중력, 연주력 향상 등 많은 부분에서 잇점이 있습니다 .

이 책은 실력이 다른 여럿이 모여 한 곡을 완성할 수 있게 편곡 되었습니다 . 자기 레벨에 맞는 파트로 초보자와 상급자가 함께 연주할 수 있고, 피콜로나 알토, 베이스 플룻이 없이 일반적인 콘서트 플룻 만으로도 풍부한 음량으로 앙상블을 즐길 수 있습니다.

파트 밑에 별 표시로 난이도를 나타내어 자기 레벨을 쉽게 찾을 수 있습니다. 전곡 반주 QR이 있어 전 파트 구성 뿐 아니라 한두 파트 빠진채 솔로나 듀엣으로 연주해도 아름답게 완성 됩니다. 또한 각 곡에 코드 표시로 반주도 수월 합니다

기초부터 차근차근 함께 연습하면서 자기 소리뿐 아닌 다른 소리들도 들을 수 있게 된다면 앙상블을 통한 어울림의 묘미와 오묘한 화성의 세계로 이어지는 음악의 풍요로움을 만끽할 수 있을 것입니다.

책에 수록된 곡들은 기존에 있던 악보들로는 여럿이 모인 수업에서 함께 하는데 어려움이 있어 따로 편곡해 연주해 왔던 곡들입니다. 실제로 학교와 문화센터, 앙상블팀 등에서 축제나 발표회, 연주회 때 호평 받아 왔던 곡을 모았습니다. 연습하며 함께 즐거워 해준 서초초, 목일중, 반석초, 학동초, 예당초 친구들과 MBC문화센터,앙상블에서 만난 모든 분들, 조언주신 경희동문 선후배님들, 도움주신 김정민 선생님, 사랑하는 가족들께 감사하고 책을 낼 수 있는 여건과 지혜를 허락 하신 하나님께 감사드립니다.

차 례

Amazing Grace

아일랜드민요
한유경 편곡

Amazing Grace

Flute 3

★★

6

Amazing Grace

아일랜드민요
한유경 편곡

Flute 4

For the beauty of the earth

Flute 1
★★

For the beauty of the earth

For the beauty of the earth

Flute 2

★★★★

J.Rutter 작곡
한유경 편곡

For the beauty of the earth

Flute 3
★★★

J.Rutter 작곡
한유경 편곡

12

For the beauty of the earth

Flute 4

★

J.Rutter 작곡
한유경 편곡

For the beauty of the earth

Somewhere out there

J. Honor 작곡
한유경 편곡

Flute 1
★★

♩= 86

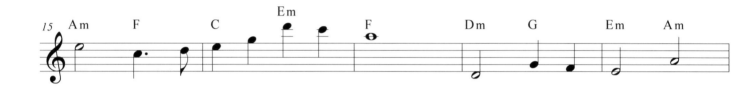

16

Somewhere out there

Flute 2
★★★

J. Honor 작곡
한유경 편곡

Somewhere out there

Flute 3

★

J. Honor 작
한유경 편

Stepping on the rainy street

Flute 1

데이드림 작곡
한유경 편곡

Stepping on the rainy street

Flute 2

★★★

데이드림 작곡
한유경 편곡

Stepping on the rainy street

데이드림 작곡
한유경 편곡

Flute 3
★

21

Time to say good bye

Flute 1

F.Sartori 작곡
한유경 편곡

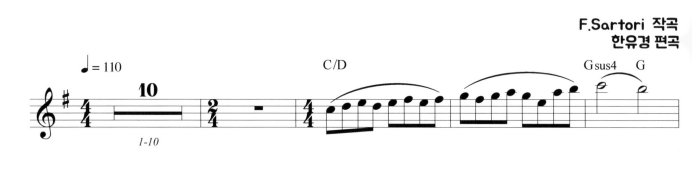

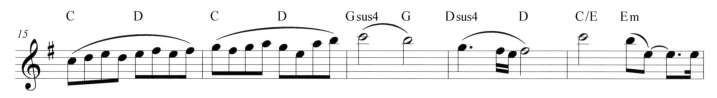

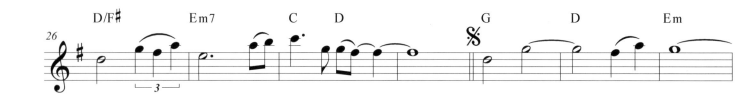

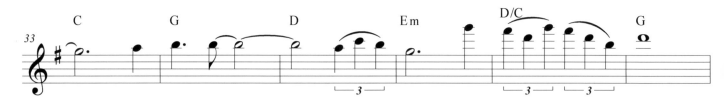

Time to say good bye

23

Time to say good bye

Flute 2
★★★★

F.Sartori 작곡
한유경 편곡

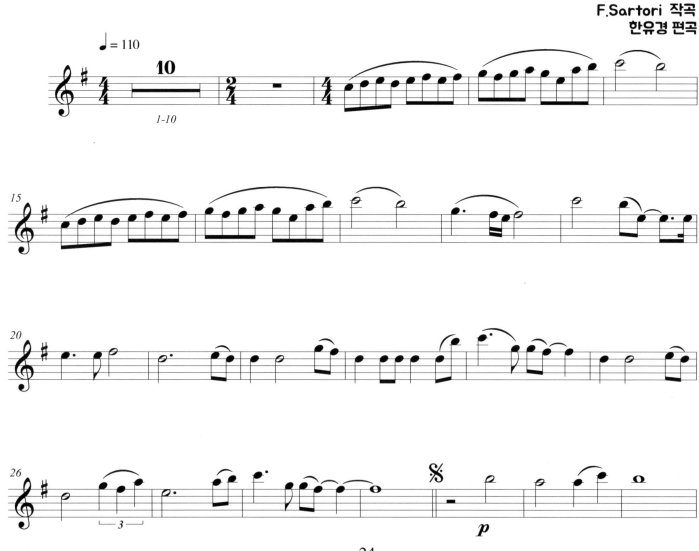

Time to say good bye

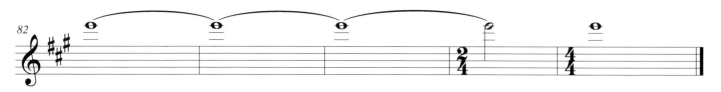

Time to say good bye

Flute 3
★★★

F.Sartori 작곡
한유경 편곡

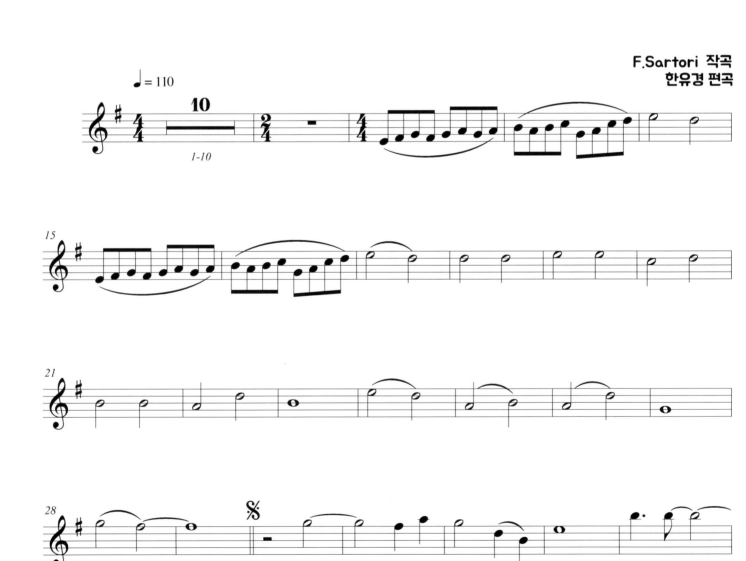

Time to say good bye

Time to say good bye

Flute 4
★★

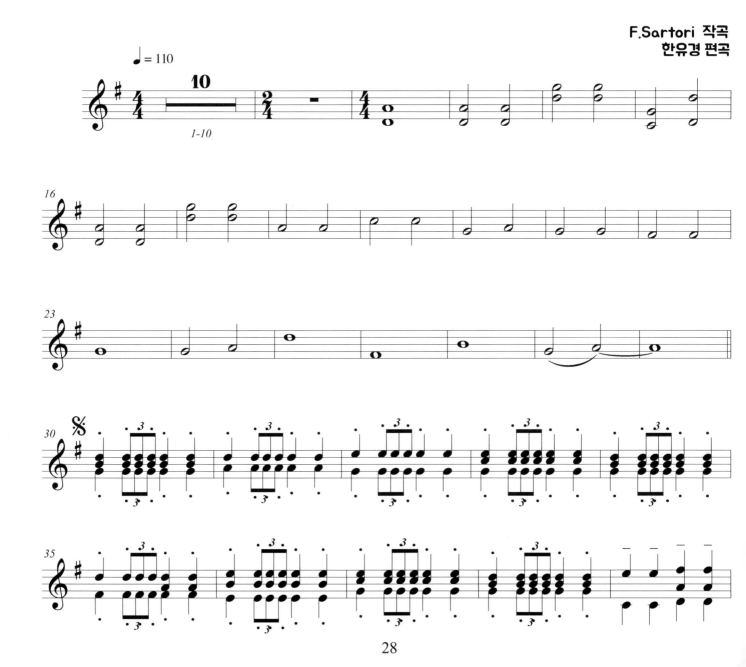

F.Sartori 작곡
한유경 편곡

28

Time to say good bye

D.S. al Coda

29

Time to say good bye

Flute 5

★

F.Sartori 작곡
한유경 편곡

Top of the world

Flute 1
★★

Carpenters 작곡
한유경 편곡

Top of the world

Flute 2
★★★

Carpenters 작곡
한유경 편곡

Top of the world

Flute 3
★

Carpenters 작곡
한유경 편곡

33

그린 슬리브스

Flute 1

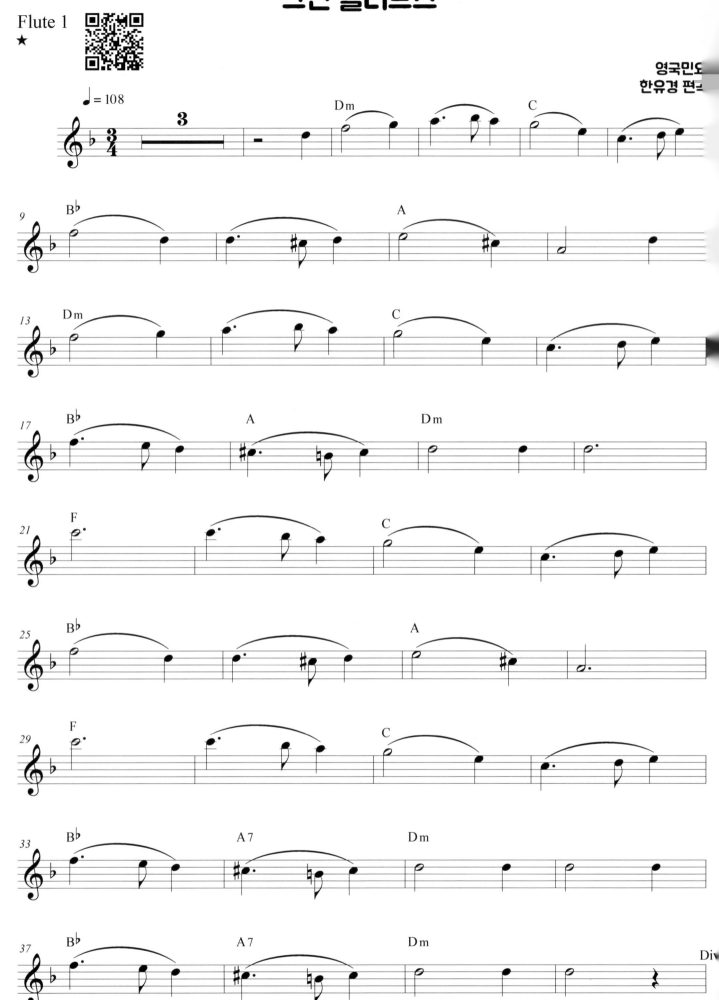

영국민요
한유경 편곡

그린 슬리브스

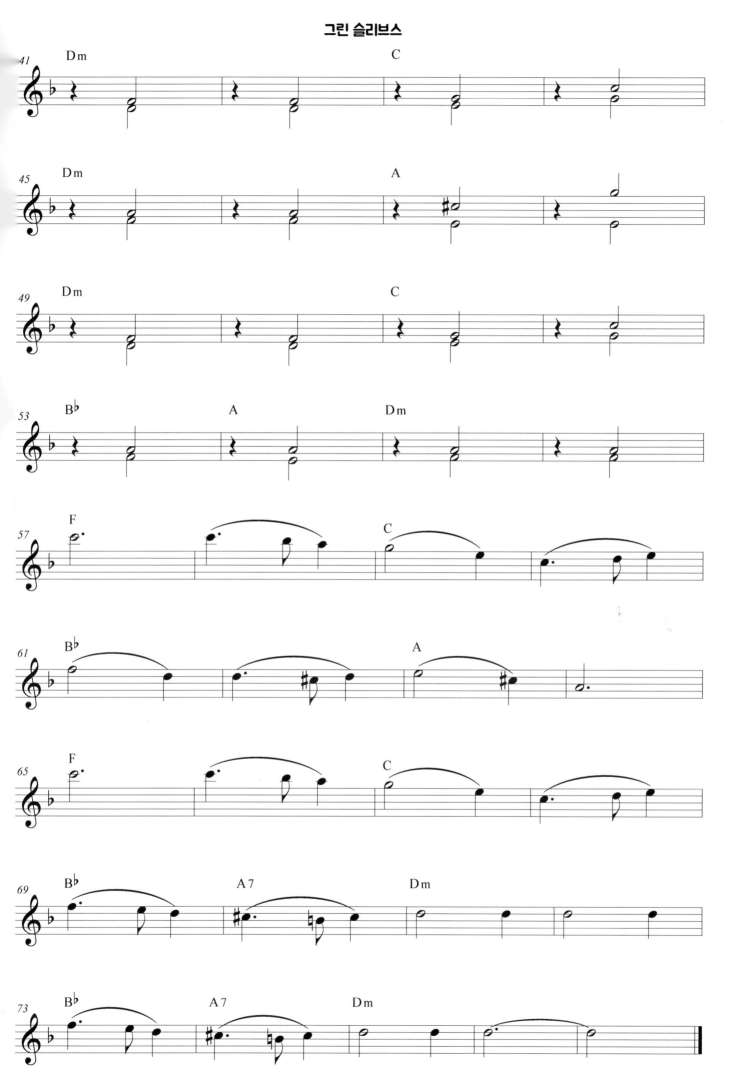

rit.

35

그린 슬리브스

Flute 2
★★

영국민요
한유경 편곡

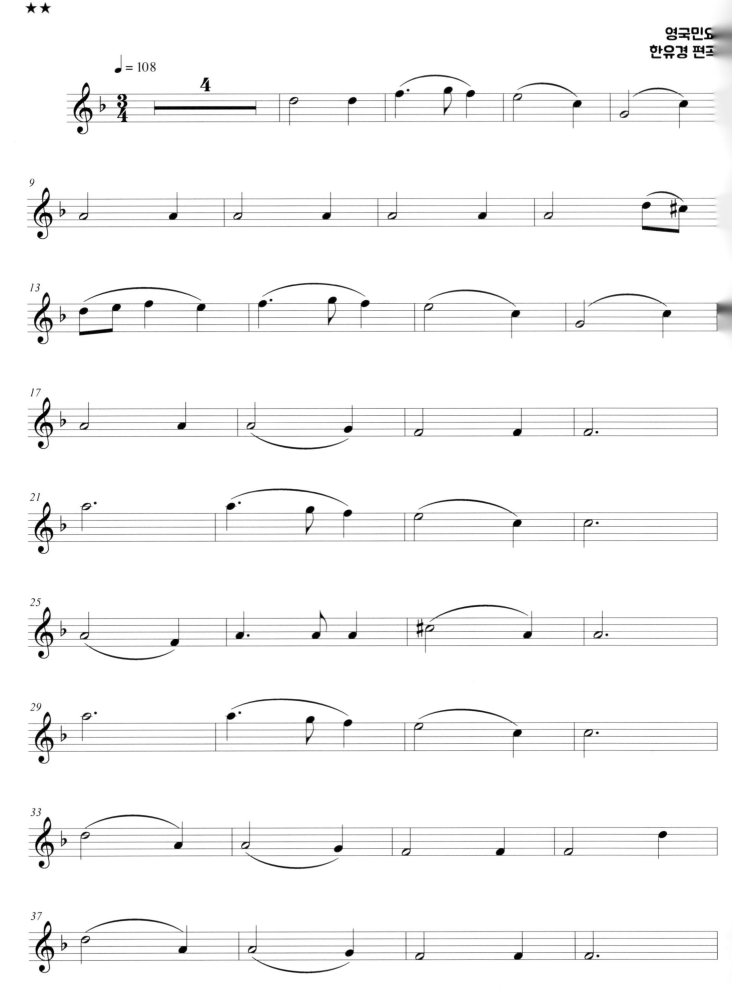

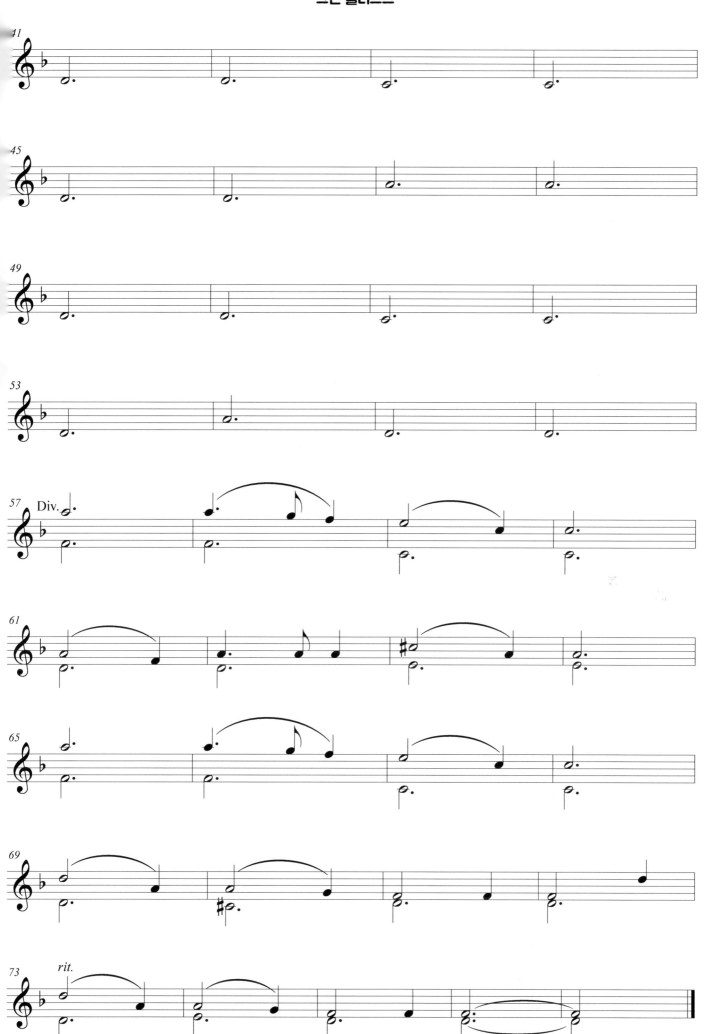

그린 슬리브스

Flute 3
★★★

그린 슬리브스

39

Flute 1

★ ★

당신은 나의 태양

J.davis,C.mitchell 작곡
한유경 편곡

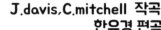

Flute 2
★★★★

당신은 나의 태양

J.davis,C.mitchell 작곡
한유경 편곡

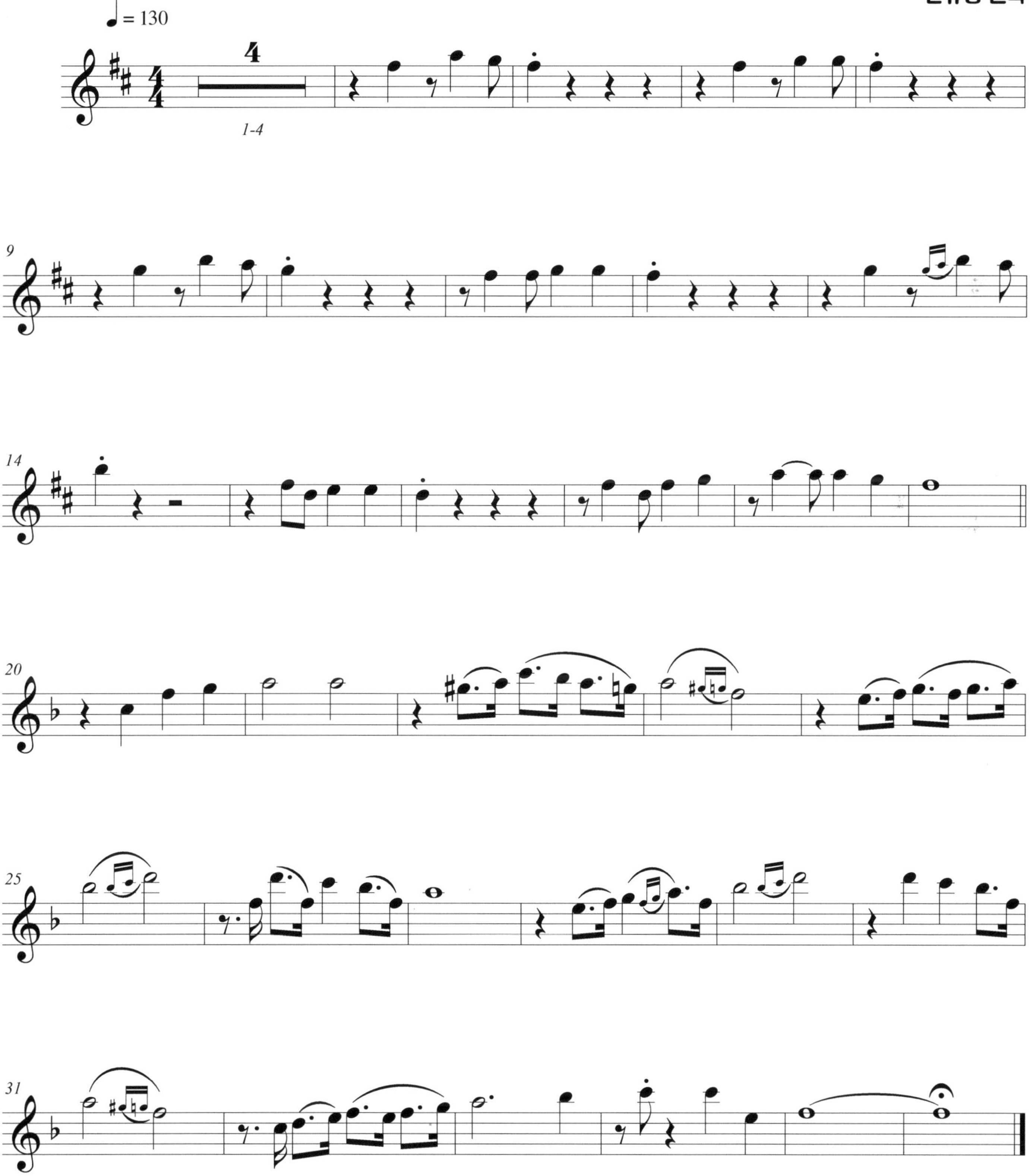

Flute 3
★★★

당신은 나의 태양

J.davis,C.mitchell 작곡
한유경 편곡

Flute 4

당신은 나의 태양

J.davis,C.mitchell 작곡
한유경 편곡

43

떡갈나무에 매인 노란 리본

T.Olando & The dawn 작곡
한유경 편곡

떡갈나무에 매인 노란 리본

T.Olando & The dawn 작곡
한유경 편곡

떡갈나무에 매인 노란 리본

Flute 3
★★★★

떡갈나무에 매인 노란 리본

T.Olando & The dawn 작곡
한유경 편곡

48

떡갈나무에 매인 노란 리본

떡갈나무에 매인 노란 리본

Flute 4

T.Olando & The dawn 작곡
한유경 편곡

스승의 은혜

권길상 작곡
한유경 편곡

스승의 은혜

Flute 2

★

권길상 작곡
한유경 편곡

스승의 은혜

Flute 3
★★★

권길상 작곡
한유경 편곡

53

루돌프 사슴코

Flute 1
★★★

Johnny Marks 작곡
한유경 편곡

루돌프 사슴코

Flute 2
★★★

Johnny Marks 작곡
한유경 편곡

루돌프 사슴코

Flute 3
★★

Johnny Marks 작곡
한유경 편곡

루돌프 사슴코

Johnny Marks 작곡
한유경 편곡

Flute 4
★

모두가 천사라면

A.bano 작곡
한유경 편곡

Flute 2
★★★★

모두가 천사라면

Flute 3

A.bano 작곡
한유경 편곡

모두가 천사라면

A.bano 작곡
한유경 편곡

Flute 4
★

숲속을 걸어요

Flute 1

정연택 작곡
한유경 편곡

숲속을 걸어요

숲속을 걸어요

Flute 3
★★★★

정연택 작곡
한유경 편곡

숲속을 걸어요

Flute 4
★

정연택 작곡
한유경 편곡

에델바이스

Flute 1

R.Rodgers 작
한유경 편

에델바이스

R.Rodgers 작곡
한유경 편곡

Flute 2

★★

엔터테이너

Flute 1

★ ★ ★

한유경 편

엔터테이너

Flute 2
★★★★

S.Joplin 작곡
한유경 편곡

엔터테이너

Flute 3

★ ★

S.Joplin 작곡
한유경 편곡

엔터테이너

S.Joplin 작곡
한유경 편곡

Flute 4

★

오 수재너

Flute 1
★

F.S.Collins 작곡
한유경 편곡

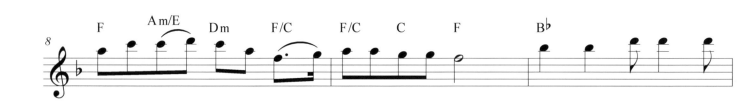

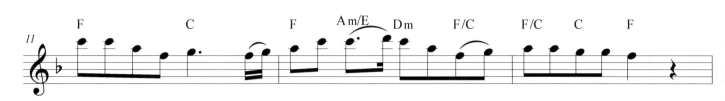

오 수재너

오 수재너

Flute 2

★★

F.S.Collins 작곡
한유경 편곡

♩ = 106

오 수재너

Flute 3
★★★

F.S.Collins 작곡
한유경 편곡

오 수재너

rit.

오 샹젤리제

M. Dieghan 작곡
한유경 편곡

Flute 2
★★

오 샹젤리제

M. Dieghan 작곡
한유경 편곡

Flute 3
★★★★

오 샹젤리제

M. Dieghan 작곡
한유경 편곡

오 샹젤리제

M. Dieghan 작곡
한유경 편곡

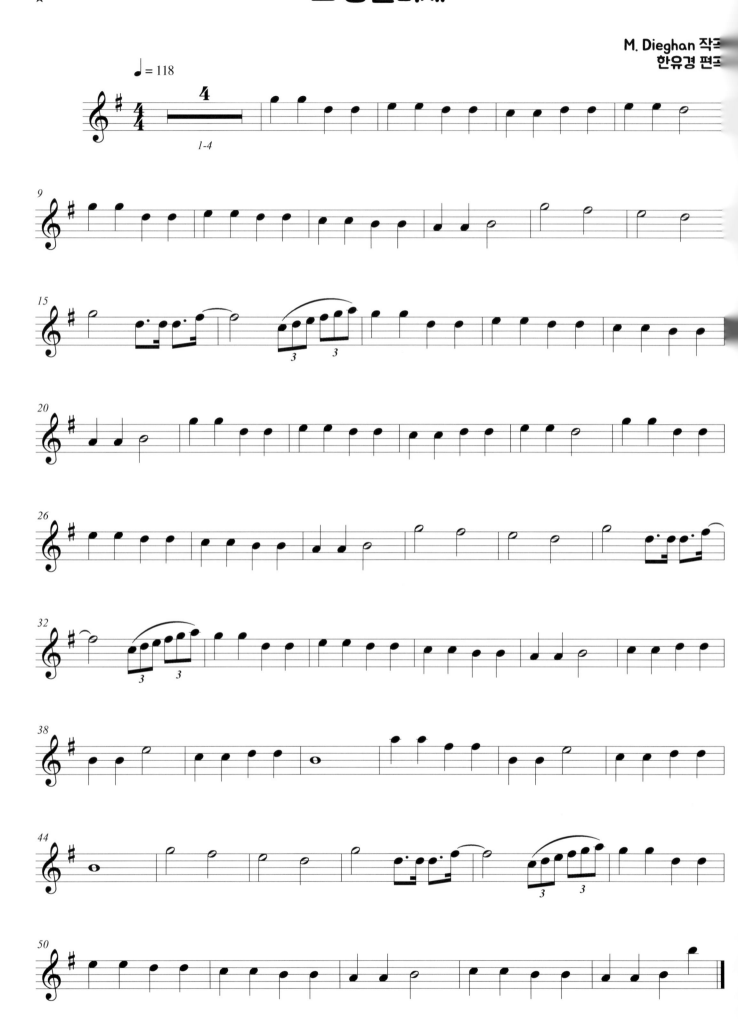

울면 안돼

Flute 1

H.Gillespie & Coots 작곡
한유경 편곡

울면 안돼

Flute 2

★ ★ ★

H.Gillespie & Coots 작곡
한유경 편곡

86

울면 안돼

Flute 3

H.Gillespie & Coots 작곡
한유경 편곡

워싱턴 스퀘어

Flute 1
★★★

B. 골드스타인 작곡
한유경 편곡

워싱턴 스퀘어

Flute 3

★★

B. 골드스타인 작곡
한유경 편곡

워싱턴 스퀘어

Flute 4

B. 골드스타인 작곡
한유경 편곡

위풍당당 행진곡

E.Elgar 작곡
한유경 편곡

92

위풍당당 행진곡

Flute 2

★

E.Elgar 작곡
한유경 편곡

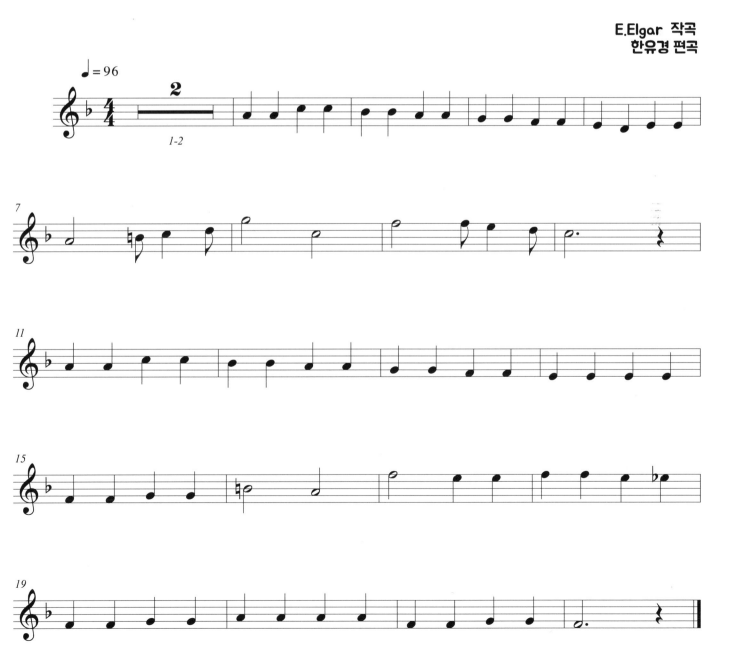

93

위풍당당 행진곡

Flute 3

★★

E.Elgar 작곡
한유경 편곡

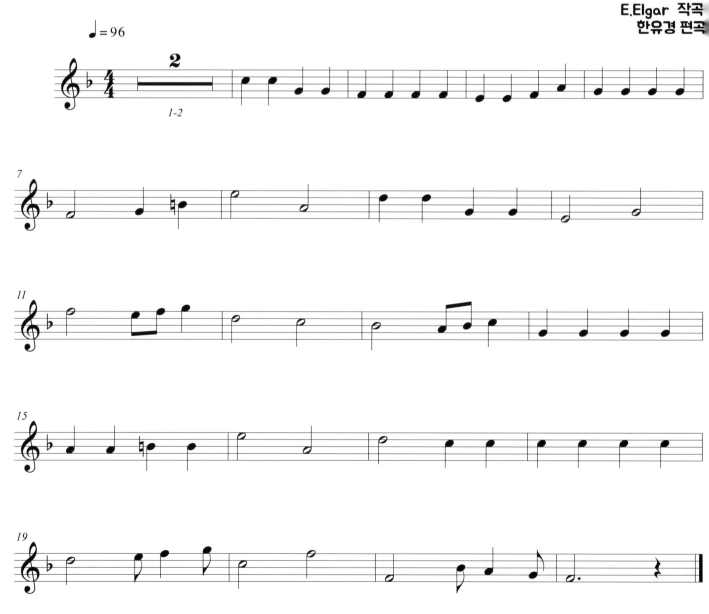

작은세상

S.Brothers 작곡
한유경 편곡

95

작은세상

Flute 2

★

S.Brothers 작곡
한유경 편곡

작은세상

S.Brothers 작곡
한유경 편곡

징글벨

징글벨

Flute 2

J.L.Pierpont 작곡
한유경 편곡

징글벨

Flute 3

★★★★

J.L.Pierpont 작곡
한유경 편곡

100

징글벨

Flute 4

J.L.Pierpont 작곡
한유경 편곡

Flute 1
★★★★

크리스마스에는 축복을

김현철 작곡
한유경 편곡

크리스마스에는 축복을

103

Flute 2
★★★

크리스마스에는 축복을

김현철 작곡
한유경 편곡

크리스마스에는 축복을

김현철 작곡
한유경 편곡

Flute 4

크리스마스에는 축복을

김현철 작곡
한유경 편곡

모두가 함께하는 플루트 앙상블 교실1

발　행 | 2019년 10월 14일

저　자 | 한유경

펴낸이 | 한건희

펴낸곳 | 주식회사 부크크

출판등록 | 2014.07.15.(제2014-16호)

주　소 | 서울시 금천구 가산디지털1로 119, SK트윈타워 A동 305호

전　화 | 1670-8316

이메일 | info@bookk.co.kr

ISBN | 979-11-272-8470-1

www.bookk.co.kr